KANGOUROU

Méthode de français

Clélia PACCAGNINO
Marie-Laure POLETTI

1

HACHETTE
58, rue Jean-Bleuzen
92170 Vanves

Illustrateurs :
Charles Berberian et **Philippe Dupuy** : pages 10, 19,
39, 46/47, 58, 72, 80, 86/87, 110/111, 114/115 .
Jean-Louis Besson : pages 5, 9, 13, 17, 21, 25, 33, 37,
41, 45, 49, 53, 61, 65, 69, 73, 77, 81, 89, 93, 97, 101,
105, 109
Pascale Hanrot : pages 11, 16, 31, 36b, 38, 43b, 59, 64d
Jean-François Henry : pages 3, 6, 7, 14, 15, 22, 23, 26,
27, 29, 34, 35, 36h, 42, 43h, 50, 51, 54, 55h, 57, 62, 63,
64g, 67, 70, 78, 79, 85, 90, 91, 92, 98, 106, 107, 113
Laurent Rullier : pages 8, 30, 55b, 71, 74, 75, 82, 83,
94/95, 99, 102, 103, 108
Pronto & Bonzo : pages 3, 12, 18, 20, 24, 28, 32, 40, 44,
48, 52, 56, 60, 66, 68, 76, 84, 88, 96, 100, 104, 112, 116,
124, 125, 126, 127

Comptines :
ⓒ tous droits réservés
page 9 : Robert Fabbri, *Comptines à rebours*,
Arbroiseaux, Saint-Germain-des-Prés
page 37 : Bray-Closard, *Comptines-apprendre
à écouter*, O.C.D.L.
page 53 : Raymond Lichet, *Rimaillages*, L'école
des loisirs
page 93 : Besiès, *Comptines et chansons pour moi*
page 109 : Luc Bérimont, *L'esprit d'enfance*,
les Editions ouvrières

Couverture : Gilles Vuillemard & Pronto
Graphisme et mise en page : **tout pour plaire**
Photogravure : **Dif'gamma**
Réunions enfants : **ABC+**, consultant marketing

🔲 Textes enregistrés par **Nanette Corey, Annie Le
Youdec, Clément Reverend** et des élèves de l'École
élémentaire de la rue de l'Arbre Sec à Paris 1ᵉʳ :
**Fabienne Bagnis, Cyril Carisey, Gaëtan Hamelin,
Franck Morelli, Agnès Pizivin-Rábot** et **Jihane Srour**,
avec la collaboration d'**Antonia Bosco** et **Sylvie
Voisin**, et la participation d'**Élise Garreau**.
Musique : **Jean-Pierre Chevillard**
Coordination : **Élisa Chappey**

ISBN 2.01.017826.2
ⓒ HACHETTE, PARIS, 1991

Sommaire

3... 2... 1... Partez !

On construit une fusée.

Les objets cachés.

Partez...

Qu'est-ce que c'est ?

Premiers mots.

Arthur le kangourou

1

■ On construit une fusée.

Remets dans l'ordre.

Les objets cachés.

Colorie.

1

Identification des objets ● Activité de production orale

Partez...

Neuf
Huit
Sept
Six
Cinq
Quatre
Trois
Deux
Un
Zéro

Partez vers
L'INFINI !

■ Qu'est-ce que c'est ?

Écris les numéros.

📠 *Écoute* • *Activité de contrôle de la compréhension orale* • 📖 *Présentation du lexique*

Premiers mots.

Classe.

ARTHUR le KANGOUROU

1 🎧 **Il prend un crayon.**

Il dessine.

Il découpe.

Il colle.

À la télé.

C'est une poupée.

Je sais compter.

Quel âge as-tu ?

Arthur le kangourou

2

Sandrine et Julien
À VOUS DE JOUER !

■ À la télé.

Entoure les bons numéros.

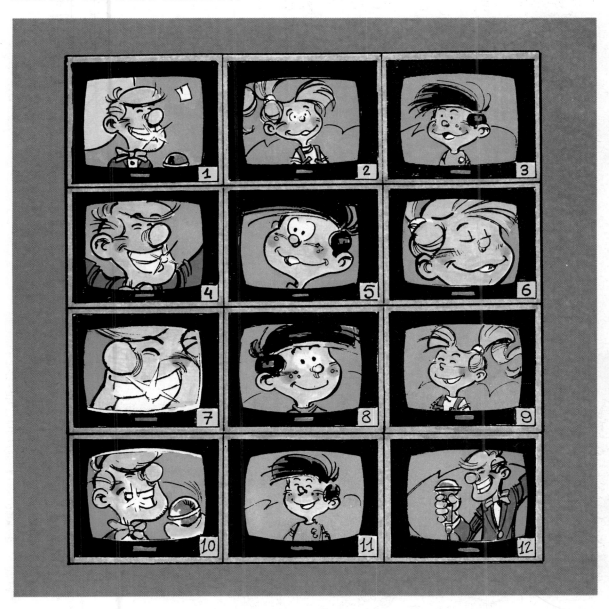

Joue au présentateur.

■ C'est une poupée.

Un ou *une*? Écris les numéros.

2

Présentation du lexique • *Activité de classement*: un, une

Pour jouer...

Pour jouer en classe
Mettez-vous en rond
Donnez-vous la main
Comptez pour de bon
1... 2... 3... 4... 5...
6... 7... 8... 9... 10...
Salut les copains !

■ Je sais compter.

Écris les chiffres.

2 🎧

 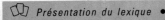 *Présentation du lexique* ● 📼 *Écoute* ● *Activité de contrôle de la compréhension orale*
● *Activité de production orale*

Quel âge as-tu ?

Écris la bonne lettre.

ARTHUR le KANGOUROU

2 🎧

Il joue au ballon.

Il lit un livre.

Il fait de la planche à roulettes.

Il joue aux billes.

Tu viens chez moi ?

La récréation.
L'invitation.

Où est-il ?
Je sais compter à l'envers.

Sous le pont...

Il faut tout ranger.

À qui est-ce ?

Arthur le kangourou

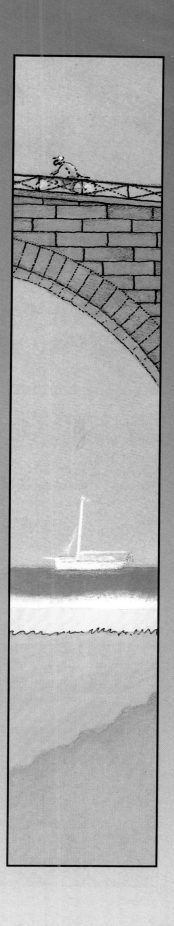

Sandrine et Julien
TU VIENS CHEZ MOI ?

■ La récréation.

Choisis les bonnes images.

■ L'invitation.

Complète la carte.

ANNIVERSAIRE
chez
· · · · · · · ·

■ Où est-il ?

Retrouve Arthur.

3

■ Je sais compter à l'envers.

Compte.

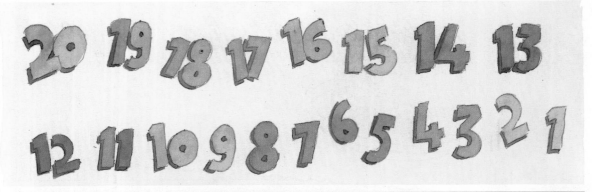

Présentation du lexique : la localisation ● Activités de production orale
■ Activités de production orale

Sous le pont...

Sous le pont chez Gaston
Sur la mer chez Albert
Sous le toit chez papa
Sur la plage, si tu es sage.

Il faut tout ranger.

Écris les numéros.

  Présentation du lexique • *Écoute* • *Activité de contrôle de la compréhension orale*
• *Activité de classement :* un, une, des

■ À qui est-ce ?

« Voilà les lunettes de Sandrine ! »

3

ARTHUR le KANGOUROU

Lucie invite Arthur.

Arthur va chez elle.

Lucie se cache sous la table
dans un panier.

Mais où est donc Lucie ?

Que disent-ils ?

Retrouve ce qu'ils disent.

La grande roue.

Joue !

Un ou une?

Dessine une X ou un ●.

Que fait Arthur ?

Retrouve ce qu'il fait.

Contrôle du lexique et de la compétence de communication

4

Sandrine et Julien
J'AI MAL PARTOUT.

Sandrine est malade.

Choisis la bonne image.

■ C'est mon pull.

Trace des flèches.

■ Le jeu des objets.

À vous...

Reprise du lexique • 🎧 *Écoute* • *Activité de contrôle de la compréhension orale*
■ *Activité de production orale : l'appartenance*

Un lapin médecin...

La chatte
a mal aux pattes
La belette
a mal à la tête
L'hirondelle
a mal aux ailes
Un lapin
médecin
est arrivé
pour les soigner.

■ Les belles couleurs !

Mets un numéro.

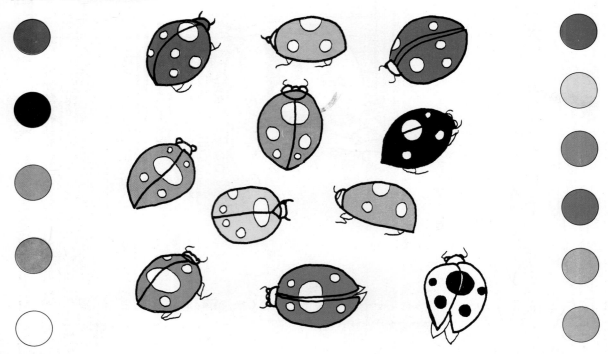

4

De quelle couleur est-ce ?

Présentation du lexique : les couleurs ● *Écoute* ● *Activité de contrôle de la compréhension*

■ *Présentation du lexique* ● *Activité de production orale*

Le monde à l'envers.

Joue.

ARTHUR le KANGOUROU

Il est malade.

Il a mal au dos.

Le lapin médecin vient le voir.

Il doit rester trois jours au lit.

5

Sandrine et Julien
UNE SURPRISE.

■ Le petit chat de Sandrine.

Mets une croix.

■ Je sais décrire.

Comment est-ce ?

Réécoute • *Contrôle de la compréhension orale* • *Reconstitution du dialogue* • *Jeu dramatique*
■ *Activité de production orale*

43

Lucie aime... Arthur aime... Et toi ?

Dessine un ♡ ou un ♡

le chocolat				♡
la glace				♡
les cerises				♡
le citron				♡
le banane				♡
les bonbons				♡
les tomates				♡
le lait				♡
la viande				
la salade				♡
le riz				♡
le fromage				♡

Présentation du lexique • Écoute • Activité de contrôle de la compréhension orale • Activités de production orale : la négation

Noir n'est pas blanc...

Noir n'est pas blanc
Petit n'est pas grand
Vert n'est pas gris
Là-bas n'est pas ici
Ici n'est pas là-bas
Maman n'est pas papa.

Qu'est-ce qu'il aime ?

Trace une flèche.

5

Présentation du lexique ● *Activité de production orale*

	A	B	C	D	E
1es tour					
2eme tour					
3eme tour					

5

ARTHUR le KANGOUROU

5

Arthur aime le chocolat.

Il n'aime pas le fromage.

**Lucie, l'amie d'Arthur,
aime les glaces et les bonbons.**

Elle n'aime pas les citrons.

6

Sandrine et Julien
L'ALBUM DE PHOTOS.

6

Les belles photos !

Mets une croix.

■ Le petit chaperon rouge.

Où est-il ?

■ La voiture d'Arthur.

Écris les lettres.

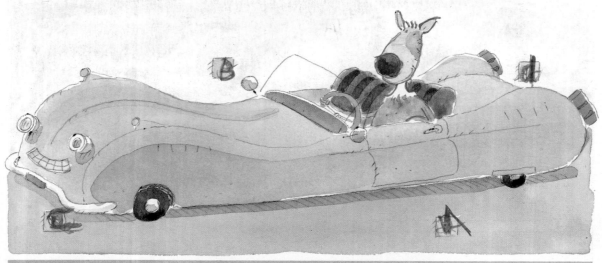

Reprise du lexique : la localisation • *Activité de production orale*
■ 📼 *Écoute* • *Activité de contrôle de la compréhension orale*

Maman Zèbre.

Maman Zèbre a peint tantôt
des rayures sur son manteau.
Elle a acheté 36 pots
Pour peindre tous ses marmots :

des rayures en rose en blanc
pour ses filles qui ont 3 dents ;

des rayures en rose en bleu
pour ses garçons aux yeux bleus.

Comme voilà de beaux enfants !
dit papa Zèbre en rentrant.

J.L.B.

La famille de Sandrine.

Qui est-ce ?

6

📖 *Présentation du lexique* ● *Activité de production orale*

■ Les personnages mystérieux.

Écris le numéro.

■ Ma famille.

Dessine. Ma

6

ARTHUR le KANGOUROU

Il regarde son album de photos.

La grand-mère d'Arthur est vieille.
Elle a des lunettes.

Le grand-père d'Arthur a une
grosse moustache.

La petite sœur d'Arthur s'appelle
Alice. Elle est toute petite.

Que disent-ils?

Retrouve ce qu'ils disent.

Pouce 2

Jeu de l'oie.

Jouez.

Contrôle de l'emploi des adjectifs possessifs

J'aime... je n'aime pas...

Tu aimes ou tu n'aimes pas ?

■ Que fait Arthur ?

Retrouve ce qu'il fait.

▭ *Contrôle du lexique et de la compétence de communication*

7

7

Ils sont beaux !

Choisis les deux bonnes images.

Quel temps fait-il?

Qu'est-ce que tu mets? Écris les numéros.

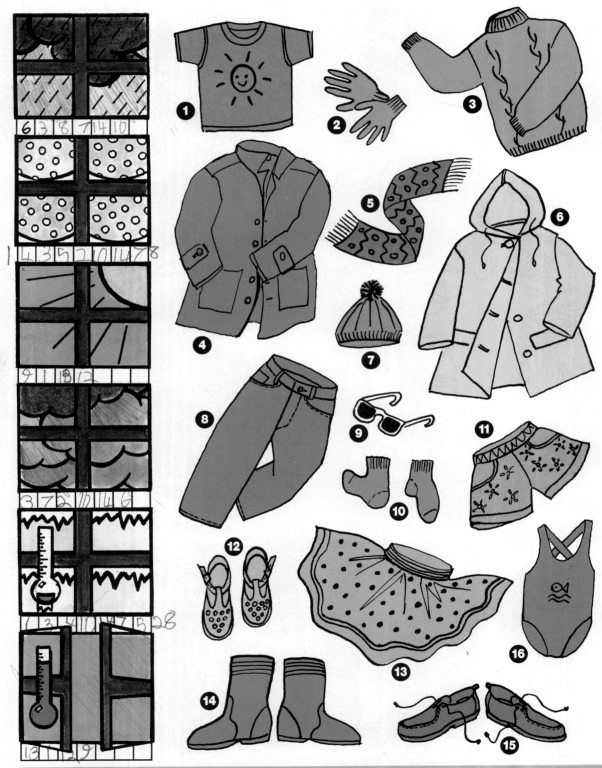

Présentation du lexique • Mise en relation des éléments de la page • Activités de production orale

Les quatre saisons.

Vive l'été !
Il y a des fruits
À ramasser.

Tiens, l'automne !
J'ouvre mon parapluie
Et croque une pomme.

Voilà l'hiver !
Vent, gel, pluie
Et courants d'air.

Au printemps,
Soleil et pluie
Se disputent en riant.

Le jeu des familles.

Devine la carte cachée.

7

Identification des familles de cartes • *Activités de production orale*

Un drôle de château.

Écris les numéros.

ARTHUR le KANGOUROU

7 🎧 Il fait froid,
ils mettent des gants et un bonnet.

Il neige,
ils font du ski.

Il pleut,
ils prennent un parapluie.

Il fait chaud,
ils vont à la piscine.

Julien déménage.

La maison de Julien.

Qu'est-ce qu'ils vont faire ?

Attention !

La maison arc-en-ciel.

Le déménagement arrive.

Arthur le kangourou

8

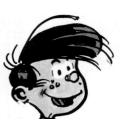

Sandrine et Julien
JULIEN DÉMÉNAGE.

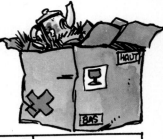

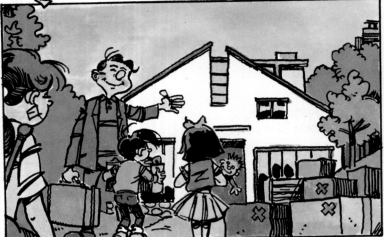

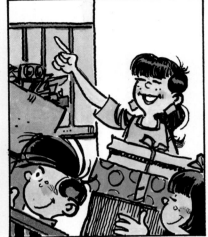

8

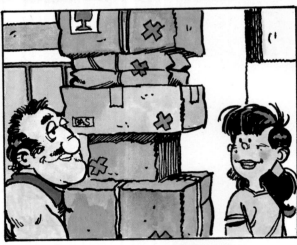

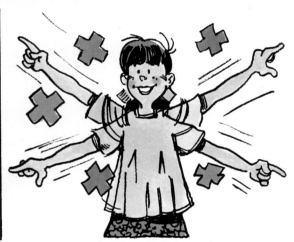

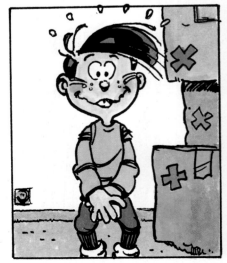

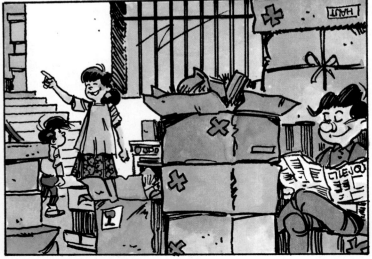

70

La maison de Julien.

Mets une croix.

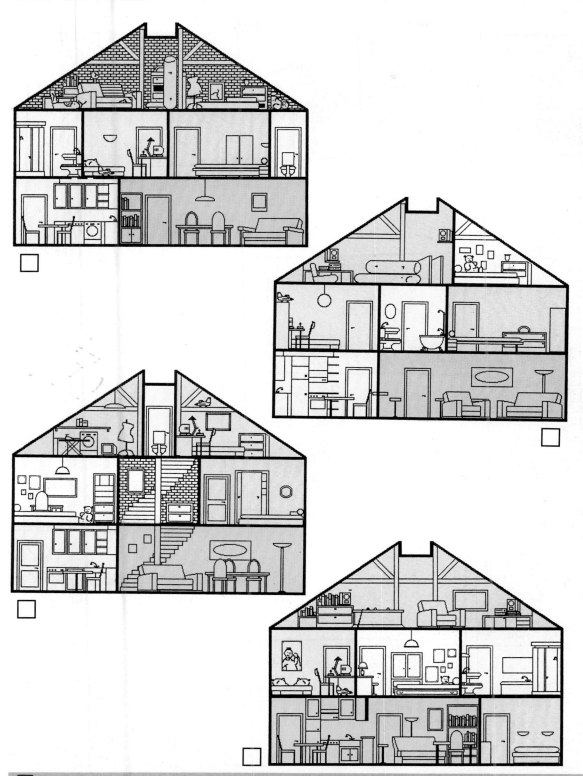

Qu'est-ce qu'ils vont faire ?

Joue.

Activités de production orale : le futur proche

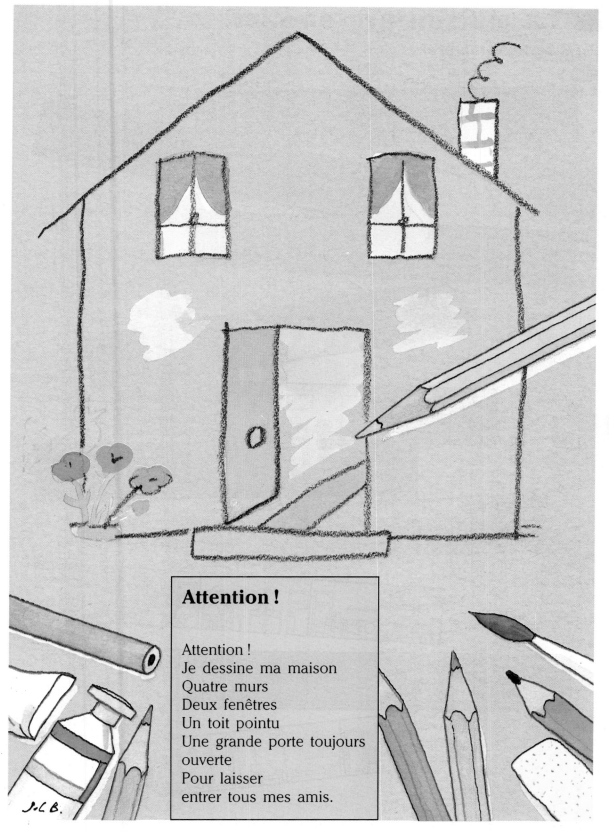

Attention !

Attention !
Je dessine ma maison
Quatre murs
Deux fenêtres
Un toit pointu
Une grande porte toujours
ouverte
Pour laisser
entrer tous mes amis.

8

La maison arc-en-ciel.

Écris le bon numéro.

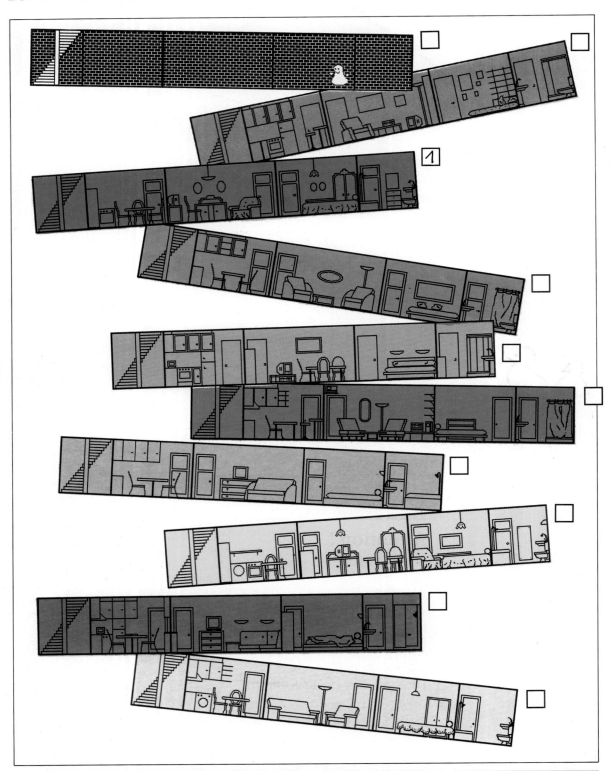

Écoute • *Activité de contrôle de la compréhension orale* • *Activité de production orale : les adjectifs numéraux ordinaux*

Le déménagement arrive.

Où vas-tu les mettre ?

ARTHUR le KANGOUROU

8 Il est assis dans le canapé.

Il fait la cuisine.

Il prend une douche.

Il se couche dans son grand lit.

Les courses.

Un panier très lourd.

Il a tout mangé.

Bonjour !

Hier, qu'est-ce que tu as fait ?

La semaine dernière...

Arthur le kangourou

9

Sandrine et Julien
LES COURSES.

Un panier très lourd.

Mets une croix.

Il a tout mangé.

Qu'est-ce qu'il a mangé ?

Activité de production orale : le partitif • Activité de classement

Bonjour !

Bonjour lundi.
Comment va mardi ?
Pas mal mercredi.
Et toi jeudi,
Tu diras à vendredi
que je pars samedi
pour arriver dimanche.

Hier, qu'est-ce que tu as fait?

Écris les numéros.

 Écoute • Activité de contrôle de la compréhension orale • Activité de production orale : le passé composé

■ La semaine dernière...

Raconte.

9

ARTHUR le KANGOUROU

9 🎧 Hier, il a pris son panier. Chez le boucher, il a acheté de la viande...

Chez l'épicier, du riz...

Chez le crémier, du lait, du fromage et des œufs...

Chez le marchand de légumes, de la salade et des pommes.

Que disent-ils ?

Retrouve ce qu'ils disent.

Contrôle du lexique et de la compétence de communication

Au marché.

Qu'est-ce qu'il a acheté ?

Contrôle du lexique et de l'emploi des articles

Que font Arthur et Lucie ?

Retrouve ce qu'ils font.

Contrôle du lexique et de la compétence de communication

10

Sandrine et Julien
LE SECRET.

10 🎧

Une belle princesse.

Mets une croix.

10

Pour faire un portrait...

Écris les numéros.

■ Le personnage mystérieux.

Joue.

10

Réemploi du lexique : les adjectifs ● *Activités de production orale*

J'ai deux pieds
pour marcher...

J'ai deux pieds pour marcher
Pour courir et pour sauter.
J'ai deux mains pour écrire
Pour peindre, pour applaudir.
Et j'ai un nez pour sentir.
J'ai une bouche pour rire
Pour manger et pour parler.
Et j'ai aussi sur les côtés
Deux oreilles pour écouter.

Qu'est-ce que tu as encore ?

10

Le dos tourné.

Joue.

10

Réemploi du lexique • *Activité de production orale*

ARTHUR le KANGOUROU

Il est monté au grenier.

Il a ouvert la vieille armoire.

Il a trouvé un portrait mystérieux.
Elle est belle ! Elle a les yeux bleus.

Arthur est amoureux.

11

Sandrine et Julien
J'AI PEUR !

CHATEAU des HORREURS !

■ Le bon chemin.

Trace le chemin à suivre

Jacques a dit...

Joue.

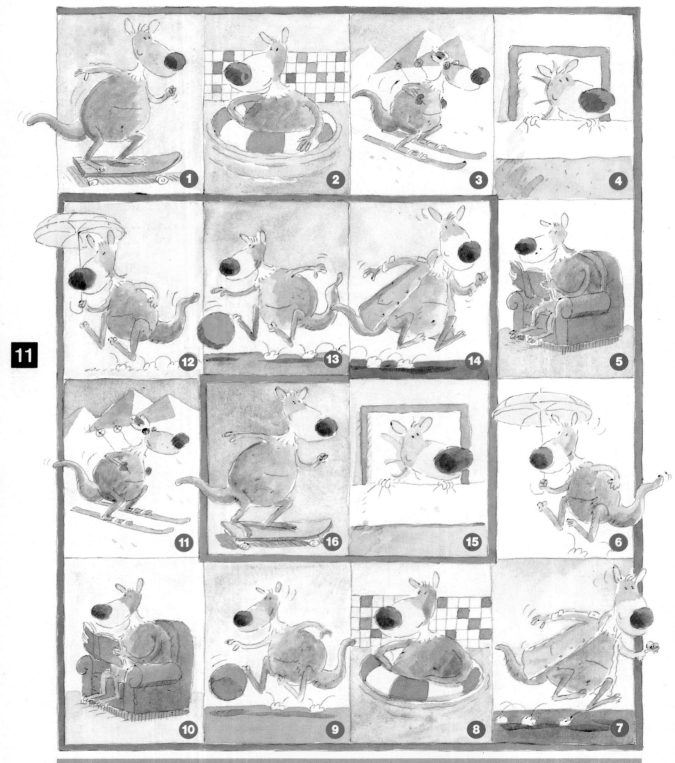

Réemploi du lexique ● *Activité de production orale*

Il faut dire...

Il faut dire bonjour à la dame
Dit maman,
Il ne faut pas mettre les doigts
dans son nez
Dit papa,
Il faut fermer la porte
Dit la maîtresse,
Il ne faut pas manger
trop de bonbons
Dit le dentiste,
Il faut regarder avant de traverser
Dit l'agent,
Il ne faut pas dire de gros mots
Dit ma grande sœur.

Pff... c'est dur d'être petit !

11

Comment va-t-on chez Sandrine ?

Trace l'itinéraire.

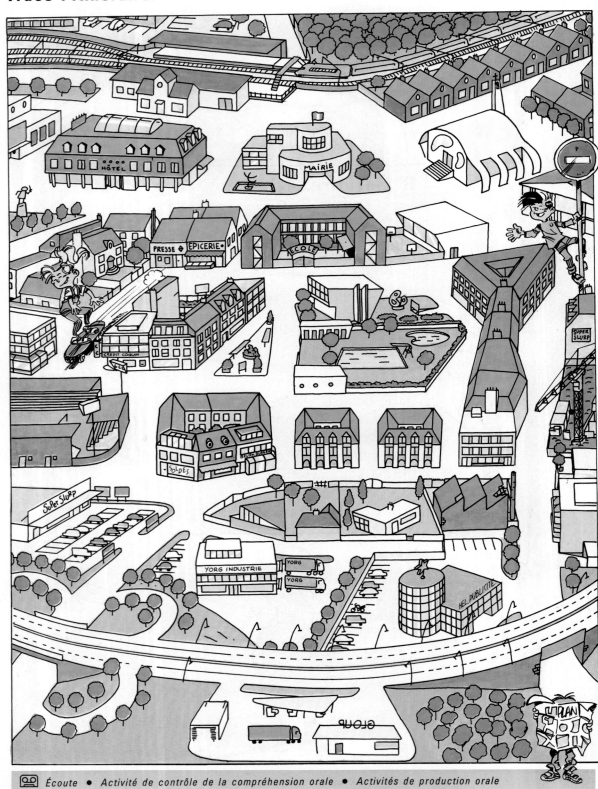

🔲 *Écoute* • *Activité de contrôle de la compréhension orale* • *Activités de production orale*

Mode d'emploi.

Fabrique la sorcière.

ARTHUR le KANGOUROU

Ils ont peur.

Ils sont perdus.

Ils regardent le plan.

Ils ont trouvé la sortie.

12

NOS CORRESPONDANTS.

■ Une journée à l'école.

Indique l'heure.

Jour et nuit.

Complète.

Réemploi du lexique : l'heure • *Écoute* • *Activité de production orale*

À onze heures...

À onze heures :
chez l'Ambassadeur

À midi :
rue Garibaldi

À treize heures :
aller voir ma sœur

À quatorze heures :
bloquer l'ascenseur

À quinze heures :
chez le directeur

À seize heures :
je mange
des p'tit-beurre

Dix-sept heures :
écrire à Honfleur

Dix-huit heures :
filer en douceur

À vingt heures :
éviter les heurts

Que faire À VINGT
ET UNE HEURES ?

12

Le petit martien.

Mime et joue.

Réemploi du lexique : les moments de la journée et les saisons ● *Activité de production orale*

ARTHUR le KANGOUROU

12 7 heures, Arthur se réveille
et se lève.

8 heures, il va à l'école.

16 heures 30, il rentre de l'école
et fait ses devoirs.

21 heures, il se couche
et fait des rêves.

Que disent-ils ?

Retrouve ce qu'ils disent.

■ Le jeu du mouchoir.

Joue.

Contrôle du lexique : les actions ● *Activité de production orale*

2

4

■ Que font Arthur et Lucie ?

Retrouve ce qu'ils font.

Contrôle du lexique et de la compétence de communication

J'apprends...

1 Au pays des voyelles :

a... e... i... o... u...

① une fusée

④ un ballon

② une voiture

③ un livre

⑤ un crayon

① une f_sé_ ② une v__t_r_

③ un l_vr_ ④ un b_ll_n ⑤ un cr_y_n

2 Au pays des consonnes :

b... c... h... l... m... n... p... r... s... t...

① une bicyclette

② une trousse

③ un cahier

④ un pull

⑤ une poupée

⑥ une montre

② une __ou__e

① une _i_y__e__e

⑤ une _ou_ée

⑥ une _o___e

④ un _u__

③ un _a_ie_

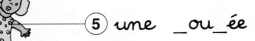
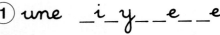
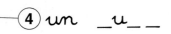

3

La chambre de Julien

① _____ ④
② _____
③ _____
④ _____
⑤ _____
⑥ _____
⑦ _____
⑧ _____

◯ une bicyclette ③ des bonbons ⑥ des lunettes

◯ un ballon ◯ un avion ② des billes

◯ des crayons (de couleurs) ◯ une trousse

4 # Vive les couleurs !

jauneblancmarronrougeorangegrisvertbleunoirrose

j _____ b _____ m _____

r _____ o _____ g _____

v _____ b _____ n _____ r _____

5 Qu'est-ce que tu aimes ?

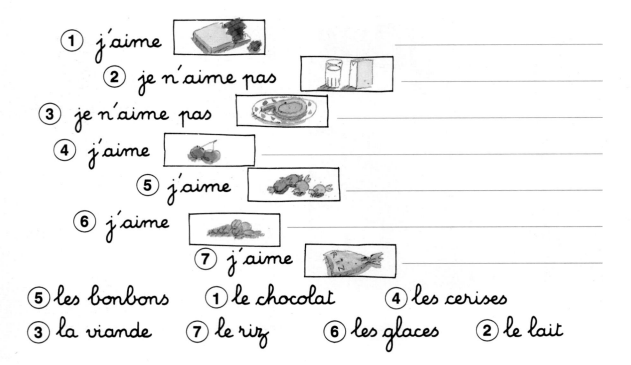

① j'aime _____

② je n'aime pas _____

③ je n'aime pas _____

④ j'aime _____

⑤ j'aime _____

⑥ j'aime _____

⑦ j'aime _____

⑤ les bonbons ① le chocolat ④ les cerises

③ la viande ⑦ le riz ⑥ les glaces ② le lait

6 La famille de Sandrine

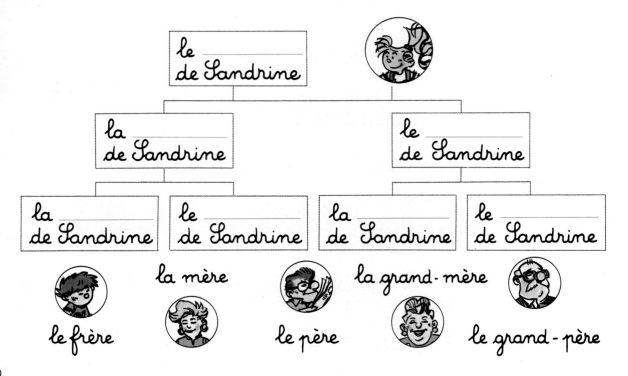

le _____ de Sandrine

la _____ de Sandrine

le _____ de Sandrine

la _____ de Sandrine

le _____ de Sandrine

la _____ de Sandrine

le _____ de Sandrine

le frère   la mère   le père   la grand-mère   le grand-père

J'apprends à écrire

7 Qu'est-ce que je mets ?

un pull

un maillot de bain

un pantalon

un bonnet

des bottes

des lunettes de soleil

8 Une belle maison

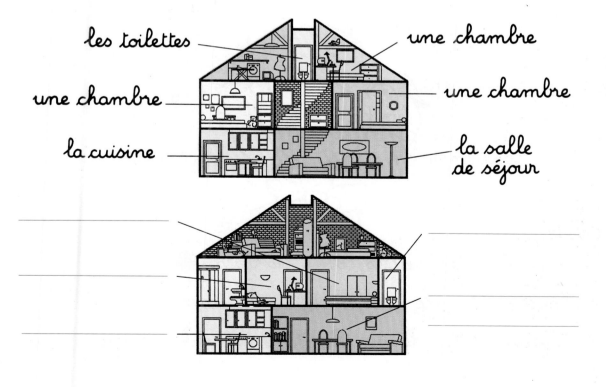

les toilettes

une chambre

une chambre

une chambre

la cuisine

la salle de séjour

9 Bon appétit !

E : poisson
F : riz
G : fromage
H : cerises

I : viande
J courgettes
K salade
L pommes

_____
_____
_____
_____

10 Une tête de clown

Colorie...

le nez H   les oreilles B   les yeux A

la bouche F   le menton D   les joues C

les cheveux G   le cou E

11 Une drôle de rue

⑤ le château des horreurs   ① le manège   ④ l'épicier

⑥ la piscine   ③ l'école   ② la maison de Sandrine

② _____

③ _____

① _____

⑤ _____

④ _____

⑥ _____

le _a_è_e   la _i__i_e   l'é_i_ie_

le __â_eau   _e   _o__eu__

la _ai_o_   _e   _a___i_e   l'é_o_e

12 Les mots mystérieux

① le lanblo

⑤ le chalocot

⑧ la suinice

_____

② une suroset

⑥ le rèfre

⑨ le grofame

_____

③ des tunelets

⑦ un ponlaton

⑩ la choube

_____

④ ganore

⑪ le gamène

_____

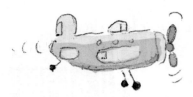

A a   avion

B b   ballon

C c   crayon

D d   douche

E e   éléphant

F f   fusée

G g   glace

H h   horloge

I i   île

J j   jupe

K k   kangourou

L l   lunettes

M m manteau

N n neige

O o orange

P p parapluie

Q q quatre

R r radis

S s souris

T t tomate

U u usine

V v voiture

W w wagon

X x xylophone

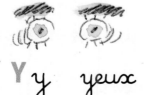

Y y yeux

Z z zèbre

1	un		15	quinze
2	deux		16	seize
3	trois		17	dix-sept
4	quatre		18	dix-huit
5	cinq		19	dix-neuf
6	six		20	vingt
7	sept		30	trente
8	huit		40	quarante
9	neuf		50	cinquante
10	dix		60	soixante
11	onze		70	soixante-dix
12	douze		80	quatre-vingts
13	treize		90	quatre-vingt-dix
14	quatorze		100	cent

Imprimé en France par I.M.E. - 25110 Baume-les-Dames
Dépôt légal n° 8449-12/1999
Collection n° 37 - Edition n° 07
15/4879/1